尼寺のおてつだいさん

まっちゃん

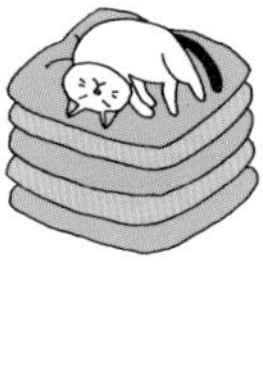

観音寺
1km

登場人物紹介

まっちゃん
尼寺の
お手伝いさん

絵を描くことが大好きで、
消しゴムはんこを彫りだすと時間を忘れてしまう。
実はおおざっぱでボーっとするのが好き。

尼寺の住職
音羽山観音寺
後藤密榮

山の暮らしもなんのその、
なんでも楽しみながらこなしてしまう。
食べることが大好きで、
お料理のレパートリーは無限大⁉

じとうさん
佐々木慈瞳

器用さでは右に出るものなし。
どうしてそんなこと思いつくの⁉
びっくり発想力とたっぷりユーモアの持ち主。

はじまり
はじまり
尼寺のおてつだいさん

はじめに

　私は漫画家ではありません。でも、漫画は大好きで、子どもの頃から好きな絵を真似て描いていました。高校では漫研。その頃に描いていたのはベタベタな少女漫画でしたけど（笑）

　慈瞳さんに誘われて尼寺に行った時、ここで暮らしたら何かが変わるんじゃないかって思いました。その前は人間関係で悩んで引きこもりになったり、海外を放浪する生活を繰り返していたんです。インドを旅したとき、ダライ・ラマに謁見する機会が偶然あって、その時なぜか自然と涙が溢れてきたり、チベットでみんなが熱心にお参りする様子を見て、仏教に興味を持つようになりました。

　でも、尼寺に通い始めた当初は、まだ人と会うリハビリ中で、ご住職さんにも慈瞳さんにも、迷惑のかけっぱなしでした。今みたいに笑うことも少なかったし、料理も全然できませんでしたから。お寺で精進料理を教わるうちに、料理の楽しさにも目覚めて、食いしん坊だったから、みんなで美味しいものを食べるうちに「元気なまっちゃん」になっていったんだと思います。ご住職さんがよく言っていますが、「食べることは生きること」を、身を持って体験しました。

そんな私が、「尼寺のお手伝いさん」として7年間暮らしていた様子を四コマ漫画に描きました。お寺に居る時から描きはじめていたのですが、みんなに見せると面白がってくれるからすごく嬉しくて、調子に乗ってしまいました（笑）

尼寺を離れた今、思い出しながら描いていると、楽しかったことがたくさん目に浮かびます。お寺に居た時は、忙しさでイライラして気がつくことができず、忘れてしまっていた大事なことも、今は思い出すことができます。尼寺に行ったからこそ出会えた人たちも、大切な宝物です。それにＮＨＫ『やまと尼寺　精進日記』の番組に出演したことで、このような出版の機会を頂けたと思っています。

何をやるにも自信がなかった私がこんな経験できるなんて、私の人生も捨てたもんじゃないなぁと、今、思えるのです。

２０２１年３月

元尼寺のお手伝いさん　なごみ創作家　まっちゃん

尼寺のおてつだいさん　目次

はじめての尼寺

はじめての尼僧さん
ある日瞑想センターでじとうさんに出会った
わー尼僧さんはじめて会います!!
はい こんにちは
ま
頭キレイ!! ピカピカ 寒くないんですか!?
冬は寒いし夏の日ざしはすごい暑いよ
どのくらいのペースで剃るんですか?
うーん3日剃らないと頭痛がしてくるよ
お寺はどんな所!?
すごい急坂登ってようやくたどり着く
興味津々ー

お手伝いデビュー
お祭りのお手伝い初めてお寺に行きます
11月のお寺って山やし、どんなやろ
お泊まり寒いかな…
あれもこれも
観音寺 1km
参道入口からすごい坂!!
じとうさんに聞いてはいたけど
キツイ…
着いた…はじめましてよろしくお願いします
2泊3日です
こんにちは すごい荷物ね 何日山にこもるの
ハハハ

慈瞳さんと初めて出会ったのは、２００９年のこと。
長い旅の途中で、お坊さんはたくさん見かけたけど、
尼僧さんに会うのは初めて。こんな機会はないと、
慈瞳さんを質問責めにしたのを憶えています。
あの頃は、私が尼寺のお手伝いさんになるなんて、
夢にも思っていなかった。
でもあの時、慈瞳さんにお祭りに誘ってもらったから、
今の「まっちゃん」があるんだろうなぁ……。

煩悩

お寺に来た頃
お尻まで髪の毛を
のばしていまして
ほほほーー
髪の毛には
煩悩が宿るという
煩
煩
煩
悩
という訳で
お寺で断髪式
ハハ
ハハ
生ウィッグ
さらば煩悩!!
ちょっとでも
注
ご住職さん
あーでも
ここまで何年も
かかってるねんなぁ…
ここまできて
悩む!?
煩悩だらけ

断髪式

切るよー
はい
お願いします
じょきじょき
うおー
はい
髪の毛
うわっうわ!!
…なんか
体から離れてみると
気持ち悪いよね…
不思議

お寺に通いはじめて、髪には煩悩が宿ると聞きました。
世界各地を放浪中から8年も伸ばしていた髪は、
お尻まで伸びて、念願の長い三つ編みもできたけど、
私はいつの間にか、長い髪に執着していたみたいで……。
2012年、新しい年が明けて、煩悩を断ち切ろうと、
お寺で断髪式をして貰いました。ちょっとドキドキだったけど、
なんやー軽くなってスッキリしたやん。
私はなんで長い髪にこだわってたんやろ？
その年からだったな、住み込みのお手伝いさん生活が始まったのは。

尼寺での初体験

朝の日課

お寺の朝は、6時の鐘つきで始まります。
鐘の音は、山の下の村まで聞こえるから責任重大！
6時前に飛び起きて、ギリギリ滑りこみセーフの時も……。
ゴーンと1回ついたら、音が消える頃、次の鐘をつきます。
全部で7回。最後はゴーン、ゴーンと続けて小さく2回鳴らします。
寝起きでボッーとしていると、何回ついたか忘れちゃうから、
目の前に小石を七つ置いて数えます。
さぁ、お泊りさんも、みんなでラジオ体操。
これでシャキッと目が覚める。
私は犬の散歩へ行ってきまーす！

慣れない犬の散歩

ドキドキ
!
あ!!
!
ピュー
ギャンギャン
ヒー
ズルズルズル
犬の散歩もまだ慣れてないのに鹿のオプションつきなんて……
ちょっと面白いけど
ドロドロ

お寺に来るまで、犬も猫も飼ったことはありませんでした。
だから、犬の散歩はもうドキドキ。
オサムもスイカもタロウも力が強いので、
引っ張られないようにいつも必死で踏ん張ります。
山道ですから、気をつけないと崖から落ちてしまう……。
最初は、私と犬とどっちの散歩なんだかわからないくらい（笑）
途中で鹿に出会ったりすると、犬が追いかけようとするから、
ひもを離さないようにもう大変！
おかげで足腰は強くなりましたよ。

丸太運び

あそこの丸太を運びあげて薪にするの
はい
←ココ
フゴ!!
!!
ひょい
よいしょ
えー!?
ひょい ひょい
えー
すごいー
ひょい ひょい

山仕事

夕方やし もうそろそろ 終わろうか
はい
あ、でも もう少し ココ
ふら〜
ヘロヘロ
バタッ
バテた…
とりゃ とりゃ
ご住職さんのが 元気やわ…
とりゃ とりゃ

ご住職さんは、私の母と同じくらいの年齢ですが、
丸太をひょいっと担いだり、思いっきり薪をわったり、とてもパワフル！
お寺に来た頃の私は体力がなかったので、
ついていくのがやっとでした。
ご住職さんは山仕事の途中でも、目ざとく山菜を見つけます。
食のハンター⁉　ついつい没頭して時間を忘れることも……。
子どもの頃から山が遊び場だったんだって。
だから、あんなに元気なのかなぁ。

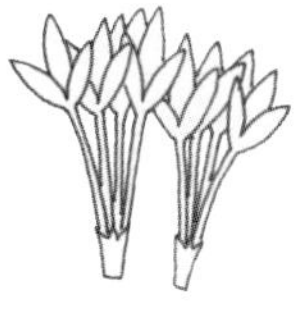

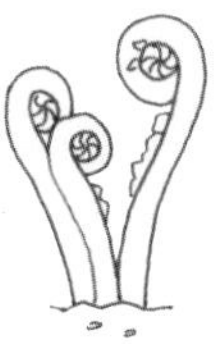

ノコギリ

はじめての薪わり

お寺に来て、初体験したことはいっぱいあります。
生活の中でノコギリを使うことはほとんどなかったし、
丸太の上に木を置いて斧でわるなんて、
「ハイジで見てたやつだー！」って、超びっくり！
冬が来る前に、薪をたくさん用意しなければならないので、
薪わりは大切な仕事。
でも、そんなに簡単ではありません。
尼寺って思っていたより、サバイバル⁉

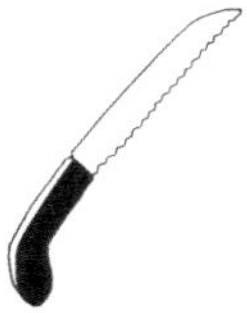

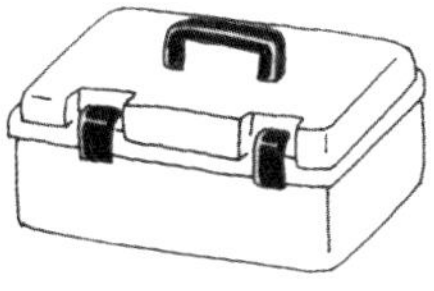

風呂焚き

フーッ
フーッ
にょい
うまいことつかへん
薪をベタッて置くと空気が入らないからね
キャンプファイヤーあるでしょ
あの組み方が基本て覚えておけばいいよ
ボッ
おーついた!!
フー
フー
フー
フーッ

一番衝撃だったのは、薪でお風呂を焚くこと。
最初はなかなか火がつかなくて、
慈瞳さんから「キャンプファイヤーみたいな感じで」と、
薪をくべるコツを教えて貰いました。
沸かし過ぎるとすごく熱くなるから注意しないと。
ちょうどいい火加減が、なかなか難しいんです。
でも、薪で焚いたお風呂って、体の芯まで温まるんですよ。

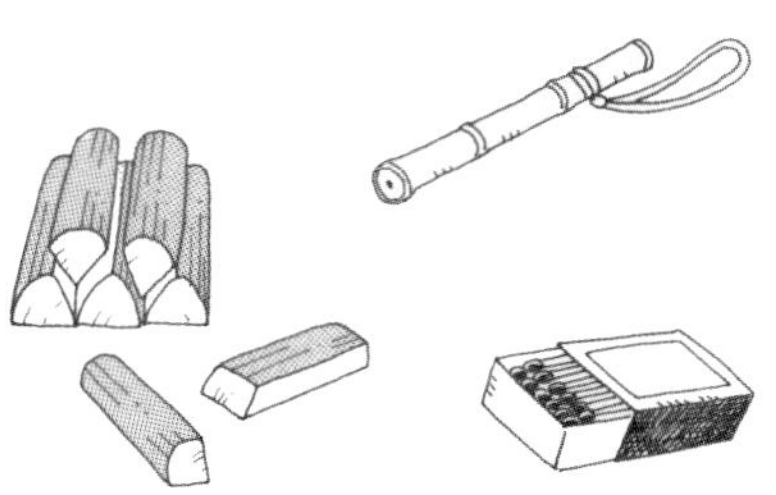

煙突そうじ
ゴシゴシゴシ
終わったー
どんな顔してんねやろ
おおおーーー
写真撮りたーい
耳の中まで黒いで

山の上の尼寺では、薪ストーブが大活躍。
薪ストーブをつけると、台所はぽっかぽか。
その周りに、野菜や果物、きのこをたくさん置いて、
干しシイタケや干しバナナとか、
長期で保存できるように、たくさん作っています。
夏以外はずっと稼働している薪ストーブは、
月１回、煙突そうじをしないと煙が逆流するから大変！
顔も手もまっ黒になるけど、綺麗になると嬉しいんだよなぁ。

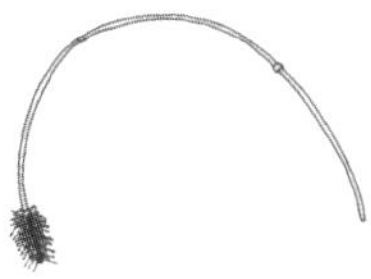

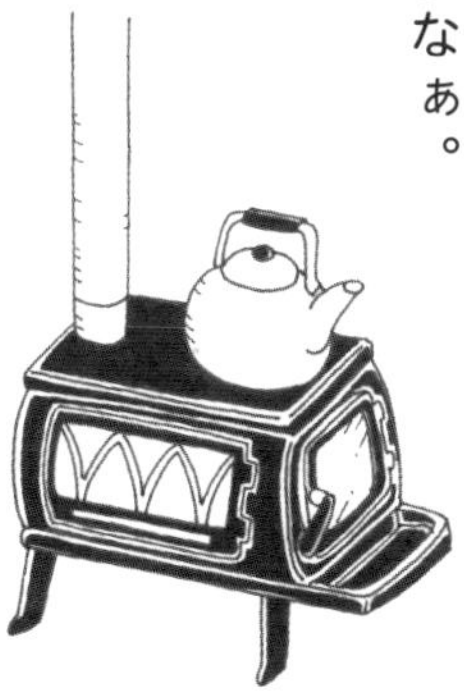

尼さんあるある

のれん

1日目
するっ
2日目
くっ
3日目
ぐいっ
ぬお!!
首が!!
3日剃らないとのれんが凶器だわ
マジックテープみたいなもんやね

髪の毛がある人は、
3日くらいでは髪が伸びたなんて感じないけど、
髪を剃っている慈瞳さんは、
3日もしたら、誰が見ても髪の毛が伸びているのがわかります。

普段、何気なくくぐっていたのれんが、
まさかの凶器になるとは思わなかったなぁ（笑）
のれんにひっかかっている慈瞳さんを何回か目撃しましたよ。

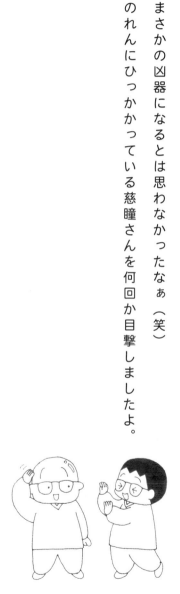

水やり
うわ暑い
かんかん照りやなぁ
水やり暑そう
そんなことないけど
ジャー
暑くなったら頭にも水かければいいしねー
ええなー♡
キャッキャッ
まっちゃんも剃ればできるよ

夏の尼寺は、山の上だから下界よりは涼しいけれど、
クーラーがないので、居るだけで汗がダラダラ流れる時も……。
ある夏の暑い日、庭の水やりをしている慈瞳さんが、
頭から水をかぶっていた!
まるで、水かけ地蔵!? いや、水かけ慈瞳さんやー(笑)
とっても気持ち良さそうで、うらやましかったわ。
「私もやりたーい」って、本気で思ったよ。

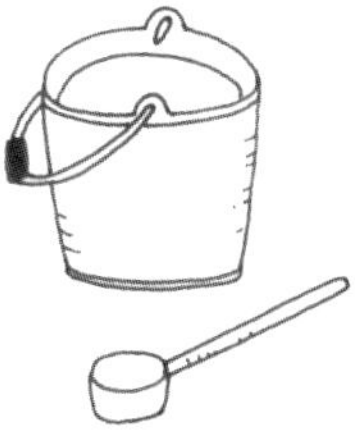

直射日光

山仕事なのにタオル忘れたわ
頭にまかないと
あ、私も帽子
まあいいか
お寺まで戻るの遠いですね
あきらめますか?
いやダメっ
直射日光ってすごく暑いのよ
意外!! 涼しいかと思ってました
頭が日焼けするのよ
皮がむけちゃう

頭センサー

涼しくなってきましたね
秋ですね
そろそろ出さないと
何を?
ニット帽
えっ 早くないですか?
髪の毛あるのと全然違うのよ
寒い寒い
そんなに違うんですね
かわいー♡
あったか

髪がなければ、夏は涼しくていいなぁと思っていたら、
逆に直射日光ですごーく暑いらしい。
晴れた日は油断すると、頭が真っ赤に日焼けするから、
ご住職さんは必ず手ぬぐいをかぶっていましたね。
寒さにも人より敏感だそうで、
秋になると、真っ先にニット帽をかぶっていました。
頭で季節をキャッチする、頭センサー!?

ごはん
ですよ

お寺の扶養家族

やっぱり男の子

ワン!! ワン!! ワン!!
はい
ワン!! ワン!! ワン!!
ごめん ごめん
ワン!! ワン!! ワン!!
キャーッ キャーッ キャーッ
キャン キャン
オサムくーん♡
やっぱりオスだね
…

尼寺には、番犬や寺猫、ニホンミツバチなど、
「扶養家族」がたくさんいます。
番犬オサムは、とてもおりこうさんで、
誰かが来るとちゃんと吠えて知らせてくれます。
何度も来ている撮影スタッフのことは
ちゃんと憶えているから吠えません。
でもなぜか、毎日バイクで来る郵便屋さんには
必ず吠えるんだよなぁ……。
知らない男性と子どもには思いっきり吠えるのに、
女性が来ると、明らかに態度がちがーう！
やっぱり男の子なんやねぇ（笑）

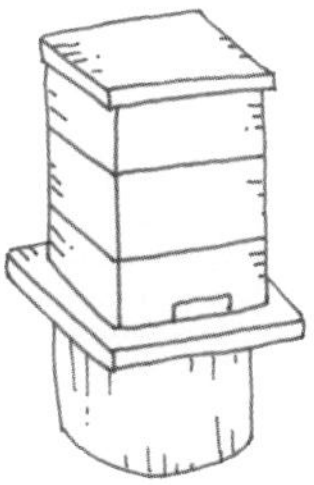

猫をかぶる ①

ネコー
ネコー
ネコいなくなった
あっいた!!
かわいー
なでなで
かわいー
ワーワー
おわりーキャーーッ
トラお疲れさま

猫をかぶる ②

あらネコちゃん
トラ
ようお参りです
おとなしいネコですねー
なでなで
そーですねー
おとなしいネコですねー
シャーーッ
お参りさんの前ではエエ子にしてるけど
ネコが猫をかぶる
シャー

お寺の猫たちは甘え上手。
特にトラは、お参りさんの相手は自分の仕事と思っていて、
普段は撫でられるのが嫌なのに、
お参りさんの前ではおとなしく撫でられていましたよ。
「猫をかぶる」って、こういうことかー（笑）

無敵

1日の仕事を終えて部屋に戻ると、
ときどき布団の上に丸まっている猫がいます。
どんなに疲れていても、あの可愛さには敵いません！
そんな時は起こさないように、
私はすみっこで遠慮して寝ています。
ときどき悪夢を見て、うなされて起きると、
私の上にしっかりと猫が⁉
もう、カワイイから許しちゃうよー。

わりこみ
スージー気持ちいいのもっとねーはいはい
くるみは次待っててね
あらチロもおいで
こらチロ
ぐりぐり
あらあら
チロちゃんいつもわりこみ
もぅエエわ

猫によっても性格はさまざま。
スージーやくるみをブラッシングしていると、
必ずチロがやって来て、自分もやってくれと、
ジャマをしてわりこみます。
チロは父スージーと母くるみの息子なんですけど、
我関せずと、とってもマイペース。
そんなチロに諦めて、他の猫は出ていっちゃう……。
チロって、やきもち焼きなのかなぁ。

グルメ
ジー
くるみ何か食べたいの?
おいしいあげようね
いらないの!?
後で食べないでしょーグルメくるみ
プイ

せっかち
ハフハフ
スイカおすわり
お手
ババババババッ
おかわり
ババババババッ
よし
スイカせっかち
ハハハ
バクバクバク

食いしん坊のお寺だから、猫もグルメなのか!?
美人の寺猫くるみちゃんは、
いつものごはんをあげても見向きもしないことが……。
あとでご住職さんのひざから、
美味しいご馳走を貰って食べたりするんですけどね。
その点、番犬スイカはとてもせっかちさん。
早くごはんを食べたいからか、お手とおかわりが超高速!?

寺猫のしごと
あ、くーちゃん
。。。。。
ギャーー!!
ネズミくわえてる!!
ちゃんと寺猫のしごとしてるね
ご住職さんの部屋行きましたよ
ハハハ
踏まないように気をつけるわ

逆襲
ネーネー見てーネズミ捕まえた
はいチロちゃん
うりうり
!
ガバッ
ネズミの逆襲ね
ピューーッ
ドキドキ
チロ腰ぬかしてる

猫の行動で驚かされるのは、
ときどきプレゼントを持って帰って来ること。
ちょっと自慢げな感じに見えるのですが、
褒めてあげた方がいいのかしら？
昔チロは、捕まえてきたネズミで遊んでいたら、
ネズミに逆襲されて腰を抜かしたことがあるらしい。
想像しただけで笑ってしまいます。

湯たんぽ

お寺の冬はとっても寒いので、
寝る時に欠かせないのが、湯たんぽ。
猫たちも布団にもぐりこんできます。
夜、湯たんぽのお湯を入れ替えようと部屋に取りに行ったら、
湯たんぽの上にちょこんとスージーが座っていた。
すっかり冷めているのに、やっぱりそこが好きなんだね。

トラの主張①

トラの主張②

トラは慈瞳さんがお寺に来る前から飼っていた猫。
寺猫たちと馴染むのに1カ月かかったらしい。
さびしがり屋なのか、どこに行くにもついてきて、
山仕事に行こうとしたら、
ミャーオミャーオと鳴いて、置いて行くなと主張する。
お参りさんにも気を使うし、
たぶん、自分のことを私たちと同じ人間だと思っているんじゃないのかな？

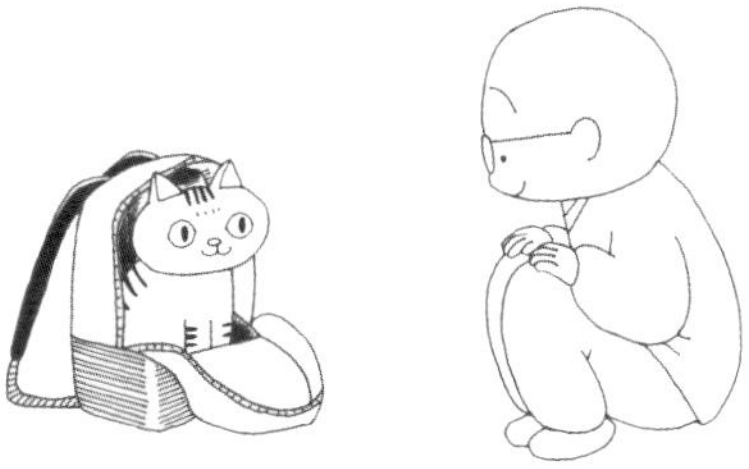

銀世界

すごい積もってる!!
何cmや
ものさし
私がお寺に来てから一番積もったわ
50cmもあるー
キャッキャッ
すごいすごい
ズボ
雪かきしないと
はじめて雪かき
猫はコタツで丸くなるー♫
猫はコタツで丸くなっ…てないね
雪おいしい
トラ雪好きなのよ
ペロペロ

朝起きたら、あたり一面の銀世界。
雪が積もるとなんだか嬉しくて、
ついついはしゃいでしまいます。
犬は喜び庭かけまわり、猫はコタツで丸くなる♪
と思っていたら……トラがペロペロ雪を食べていた！
トラはやっぱり猫じゃないのかも（笑）

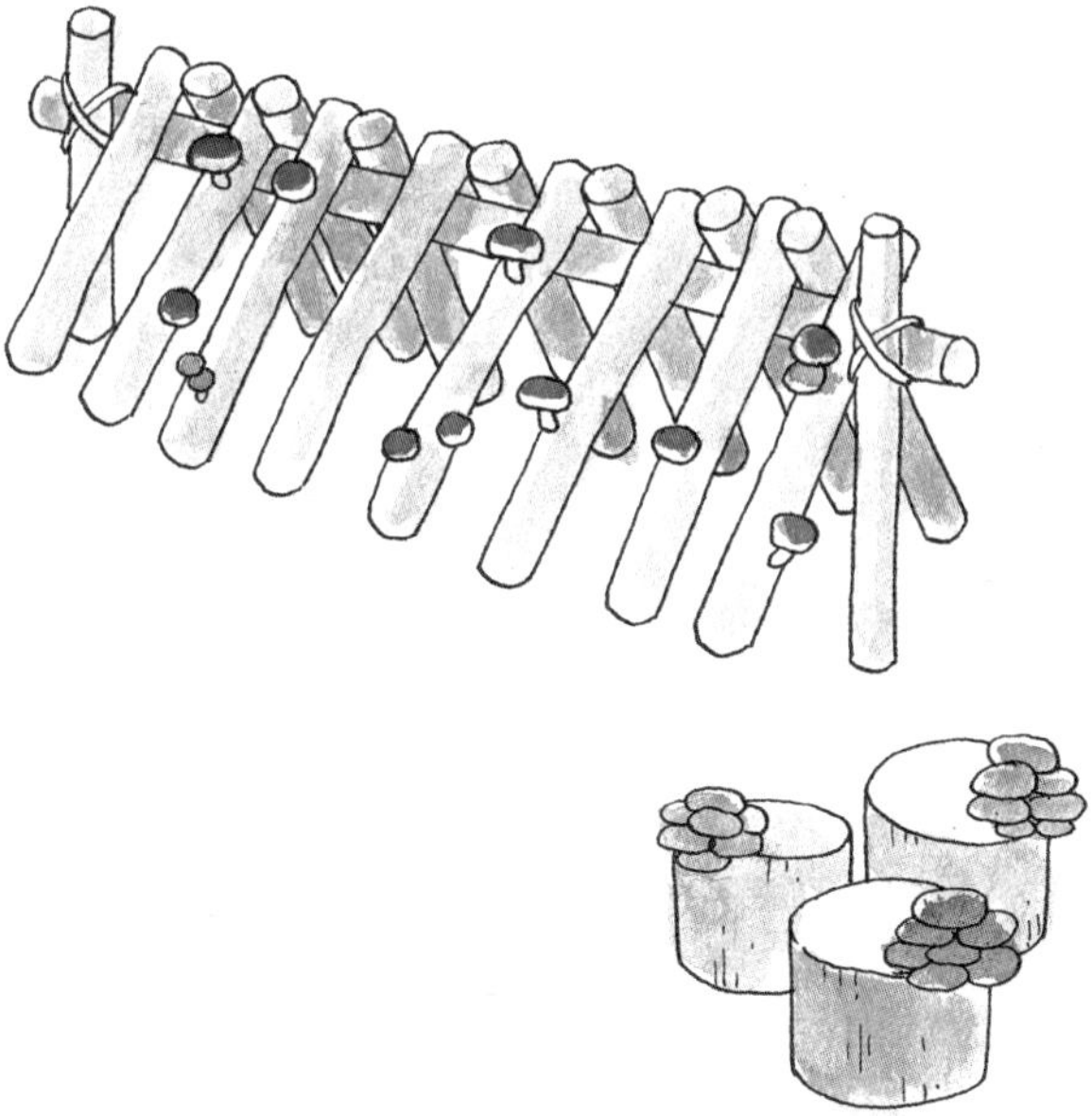

山の上で暮らす動物たち

完全犯罪

おいしく熟しますように
待つのも楽しいわ
柿
おいしくなーれ
おいしくなーれ
おいしくなーれ
ある日――。
あれ？蓋がずれてる
あー!! 柿が1個しかない!!
タヌキが食べては蓋を閉めてた!?
やられたー
ごちそうさま

ご住職さんは熟し柿が大好きで、柿が熟すように、
箱に入れて置いておくことがよくありました。
私がお寺に来る前の話。
箱に入れて大切にとっておいた柿を、
ほとんどタヌキに食べられてしまったとか……。
私も縁の下や薪置き場で何度かタヌキを見かけたけど、
タヌキってかしこいなぁ。
ご住職さんの悔しそうな顔が目に浮かびます……。

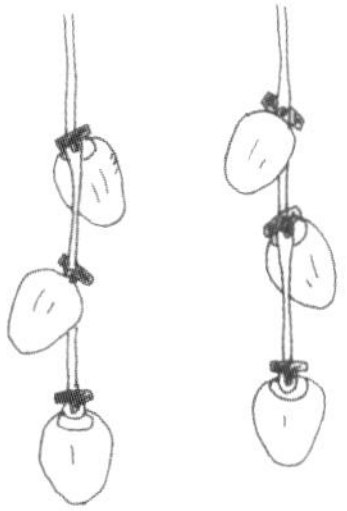

ショー

とう とう とう
うお!! 決闘!?
じとうさん じとうさん
何?
鹿がな、2頭で こうやって こうやって
とうとうって やってるねん
ふーん
いつもお世話になってます。ってお礼のショーちゃう?
うんうん
エンターテインメントだね
おー。芸達者!!

迷子

放してあげたけど スイカが帰ってこないわ
どこかでひっかかって 動けないとか…
スイカー スイカー
はぁ… 聞こえてないかな…
あー スイカ!!
鹿よけネットに引っかかってたの!?
なんとか食いやぶりました

奈良といえば、鹿！　お寺の周りでもよく見かけます。
大切に育てたきのこや庭の植物が食べられないように、
お寺の周りは鹿よけネットでがっちりガードしています。
ある時、番犬スイカが散歩の途中でいなくなって捜していたら、
鹿よけネットを首につけて帰って来たそう……。
ネットを食いちぎるなんて、さすがスイカ！

鹿の角①
こんなの落ちてました
お助け隊
うわっ鹿の角!! しかも対 すごいぞ!!
えっ そんなに すごいの?
自然に 落ちてたん すごいよ
お助け隊
どこで 見つけた!?
裏の山 ですよ
これ落ちて 間ないね
5分早く行ってれば オレが見つけてたー!!
ハハハッ
本気で 悔しがってる ハハハ
鹿の角②
スイカ、昔角くわえて 帰ってきたことあるって 聞いてるぞ
いざ ゆかん
頼りに してるぞ!
キョロ
キョロ
ウロ ウロ
あった みて みて
スイカ、エライ すごいぞ!!
ああでも 対じゃなかった ……
しょぼん
相当 悔しいんやねっ
わはは

春は鹿の角が落ちる季節です。
でも、対になっている鹿の角を見つけるのは、
滅多にないことだそう。
お寺を手伝ってくれるお助け隊が、
スイカを連れて必死に探していましたよ。

ぐうー…
料理は
これからよ

尼寺はお料理上手

失敗しても

高野豆腐炊くの難しいんよな
弱すぎてもアカンし
あ、あれもこれもせんと
ぐつぐつぐつぐつ
あ!!高野豆腐のこと忘れてた!!
うひゃー全部溶けてしもた…
どないしょこれ……
卵の花作ればいいよ
よかったー
さすがご住職さん!

お寺の料理は大量

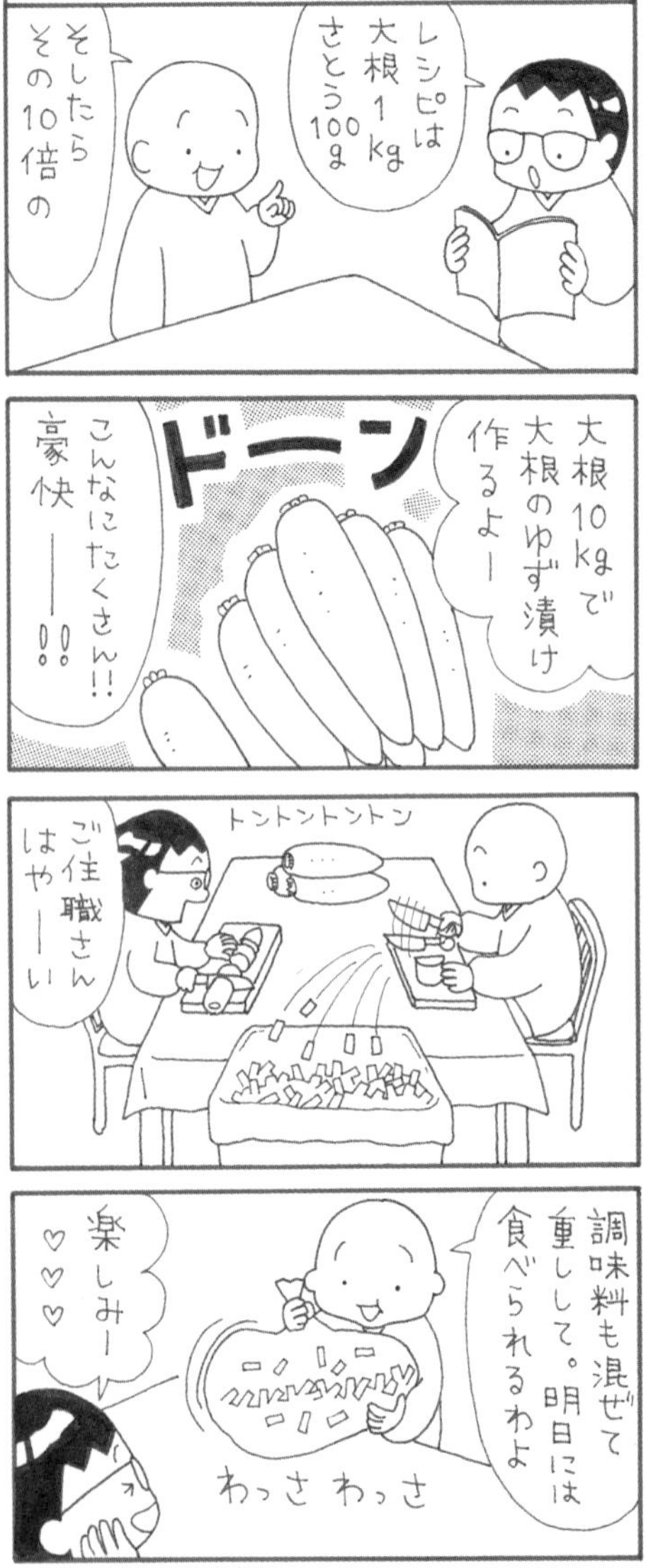

レシピは大根1kg さとう100g
そしたらその10倍の
大根10kgで大根のゆず漬け作るよー
ドーン
こんなにたくさん!!豪快——!!
トントントントントン
ご住職さんはやーーい
調味料も混ぜて重しして。明日には食べられるわよ
わっさ わっさ
楽しみー♡♡♡

ご住職さんは、本当にお料理上手。
私が料理で失敗した時も、
どうにかして美味しく復活させてしまいます。
お寺に来てびっくりしたのは、作る量が半端なく多いこと！
でも、たくさん作るのは、お寺に来た人たちに振る舞ったり、
手土産を持たせてあげたりするからなんですよね。
美味しいものは、人を幸せにしてくれます。

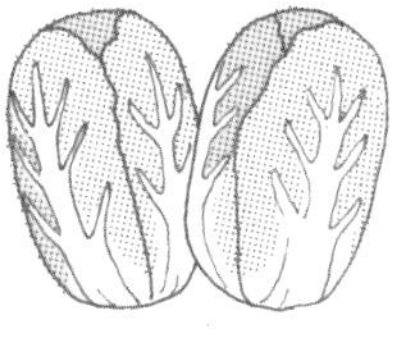

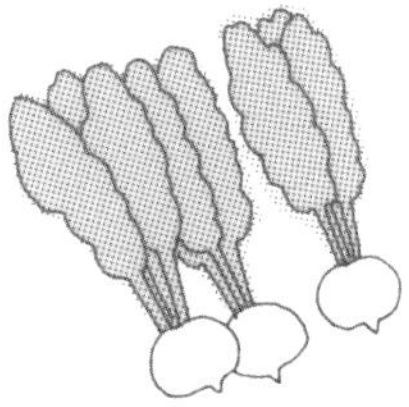

家内制手工業 ゆず編

ぐりぐり
ぐりぐり
うとうと
うと
ぐー
寝た

ジャム作り

中火くらいで焦げないように全体を混ぜてね
はい
アクとりながらね 弱火で長く煮ると色が悪くなるから
はい
うとうと
寝たら焦げるわよー
ハッ
ぐるぐるぐるぐる

お寺の冬の風物詩は、ゆず仕事。
なんでも大量に作るので、同じ作業を繰り返していると、
ついウトウトしてしまうことも……（私だけ？）
ジャムの鍋をかき回しながら居眠りした時は、
さすがの私もびっくりしました（苦笑）

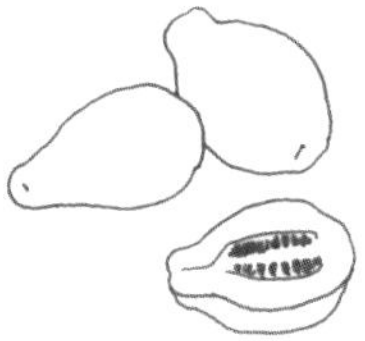

奈良漬け
酒粕と野菜を交互に層にして入れていくの
はい
よいしょ
奈良漬けって完成までどのくらいかかるんですか？
だいたい2〜3年かな
2〜3年!!すごいですね!!
何回も漬けかえて
手間ヒマかけておいしくなるのよ
はぁ〜〜♡
月日を重ねた奥深き味ありがたいです

奈良漬けは、１年を通して大量に作ります。
何度も粕を漬けかえて、
何年もかけて大切に育てているから、
食べた人はみんな美味しいって言ってくれますね。
奈良漬けが嫌いな人でも、
観音寺の奈良漬けなら食べられるって言っていました。
ファンも多くて、ご住職さんの自慢の一品です！

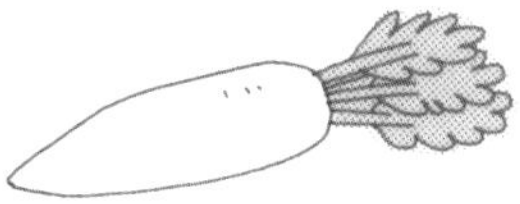

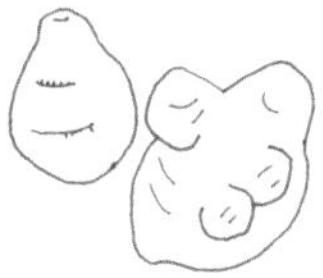

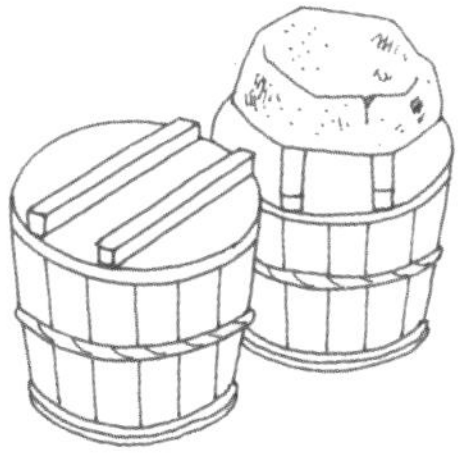

精進料理
酢物
キョロキョロ
わからない
あれとこれと
なんかキレイに盛りつけできない…
盛りつけは真ん中が高くなるように
色のバランスも考えてね
こんな感じで
うわーキレイ♡
味はもちろん目でも楽しめるようにね

精進料理に肉や魚を使わないということは知っていましたが、
どんな料理を作るのか、知りませんでした。
味付けはもちろん、四季を意識した彩りや盛り付け方など、
ご住職さんに一から教えて頂きました。
野菜や豆腐などの限られた食材で、
こんなにも美味しく、美しくなるなんて、
精進料理はとても奥深いです。

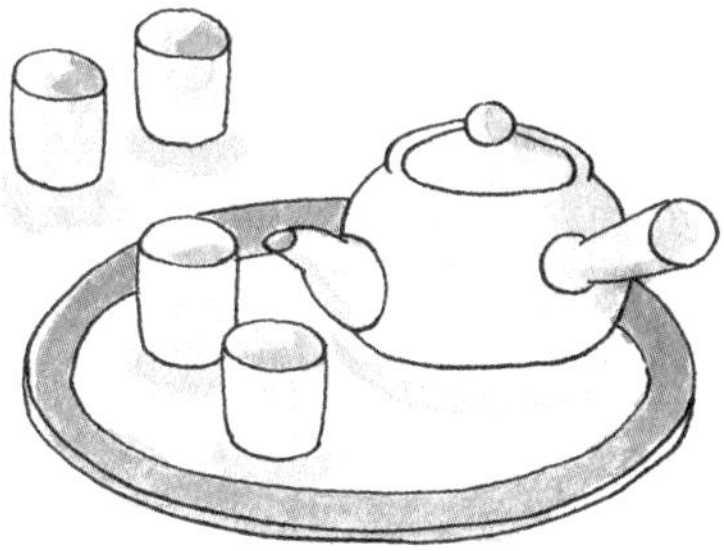

みんな食いしん坊

3等分勝負

3等分すれば どっちの味も 食べられるね
どうせなら 正確に 3等分できるか勝負
最中
最中
つぶあん
栗あん
四角をどう3等分 するかなー
計りで はかろうよ
ピピ
9g
あっ
ムムーーッ
10g
10g
10g
10g
勝ったー♡
さあ 食べましょ
9gの私が…
1gの差は 大きいな…

ご住職さんは食べることが大好きだからか、
尼寺に来る人たちも、みんな食いしん坊。
全国の美味しいお菓子をたくさん頂きます。
最中につぶあんと栗あんの２種類あれば、
どちらの味もやっぱり食べたーい！
慈瞳さんと私と、どちらが正確に３等分できるのか⁉
いざ勝負！ 食べることにはみんな真剣です（笑）

いちご狩り
いちごの楽園〜♫
食べ頃ね
おいしー
おいしー
パク
パク
お腹いっぱいになったら
かがむのがしんどくなりますね
えへ
まず採ってからね
了解！。

縁側
縁側でスイカ食べるの憧れやった♡
おいしそ
やった
おいしいね
のどか〜
この状況やらずにはいられない
勝負する？
プププー

お寺にいると、旬の食材で季節を感じます。
春はいちご狩りに誘われて、動けないほどたらふく食べたし、
夏は縁側に座って、すいかの種飛ばしをしたなぁ。
秋はたくさんの柿をむいて、せっせと干し柿を作ったし、
冬は台所にあふれる柚子の香りで、年の瀬を感じたり……。
味の記憶と共に、季節の思い出がよみがえります。

どくだみジュース
くぃーー
2杯目
くぃーー
バンッ
Toilet
利尿作用で
毒出しに期待

お寺の裏庭に、どくだみがたくさん生えています。
どくだみを焼酎に漬けて、どくだみチンキを作りましたね。
私は今でも化粧水にして使っていますよ。
「どくだみジュース」は体に良いって聞いたから飲んでいたけれど、
あまり飲みすぎると、トイレばかり行きたくなるので困ってしまいます……。

団子の串さし
このお店の団子おいしいなぁ
好きー♡
これどうやって串さしてるんかな？
機械かな
それは働いてる人が手作業でシュッって
シュッ
シュッって手作業？
だからこんな風にシュッって
そんなに素早く串にさすの？
そうでしょ
プロだからシュッシュッシュッ
わははっ

頂き物の美味しいお団子を食べている時、
「どうやって団子に串を刺しているのか？」が話題になりました。
ご住職さんが「手作業でシュッシュッって刺すのよ」って、
串を刺す真似をしていたのが妙に可笑しくて、
慈瞳さんと二人で大笑いしましたよ。
今も思い出すと笑ってしまいます。

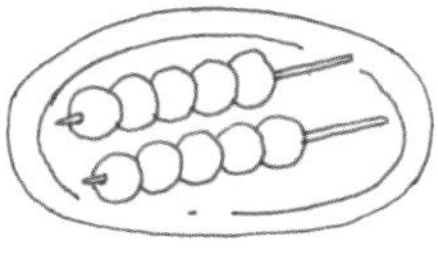

潤子さんは働き者
あらまっちゃん
こんにちは潤子さん
一日庭仕事されてたんですか
別の日――。
佃煮作ったのお寺でどうぞ
すごい
ありがとうございます
さらに別の日――。
コンポート作ったんだけどお寺で食べて
わーい
ありがとうございます
またまた別の日――。
マフラー編んだのよ
潤子さん寝てます!?
寝てるわよー
超人!!

麓に住む潤子さんは、お寺を支えてくれる心強い味方。
潤子さんが育てた珍しい野菜や果物を、いつもたくさん頂きます。
お料理上手で、奈良の郷土料理を教わったり、
私たちが愛用していたマフラーは潤子さんからの頂きもの。
手先が器用だから、1日1本、編んでしまうとか。
「休まず働いて疲れないんですか？」って聞いてみたら、
「ジッとしていられないから、動いている方がいいの」って言ってましたよ。

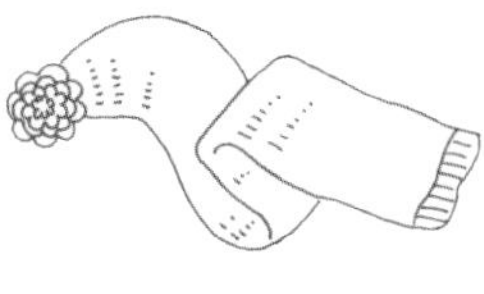

尼寺に来る前のわたし

気合が…

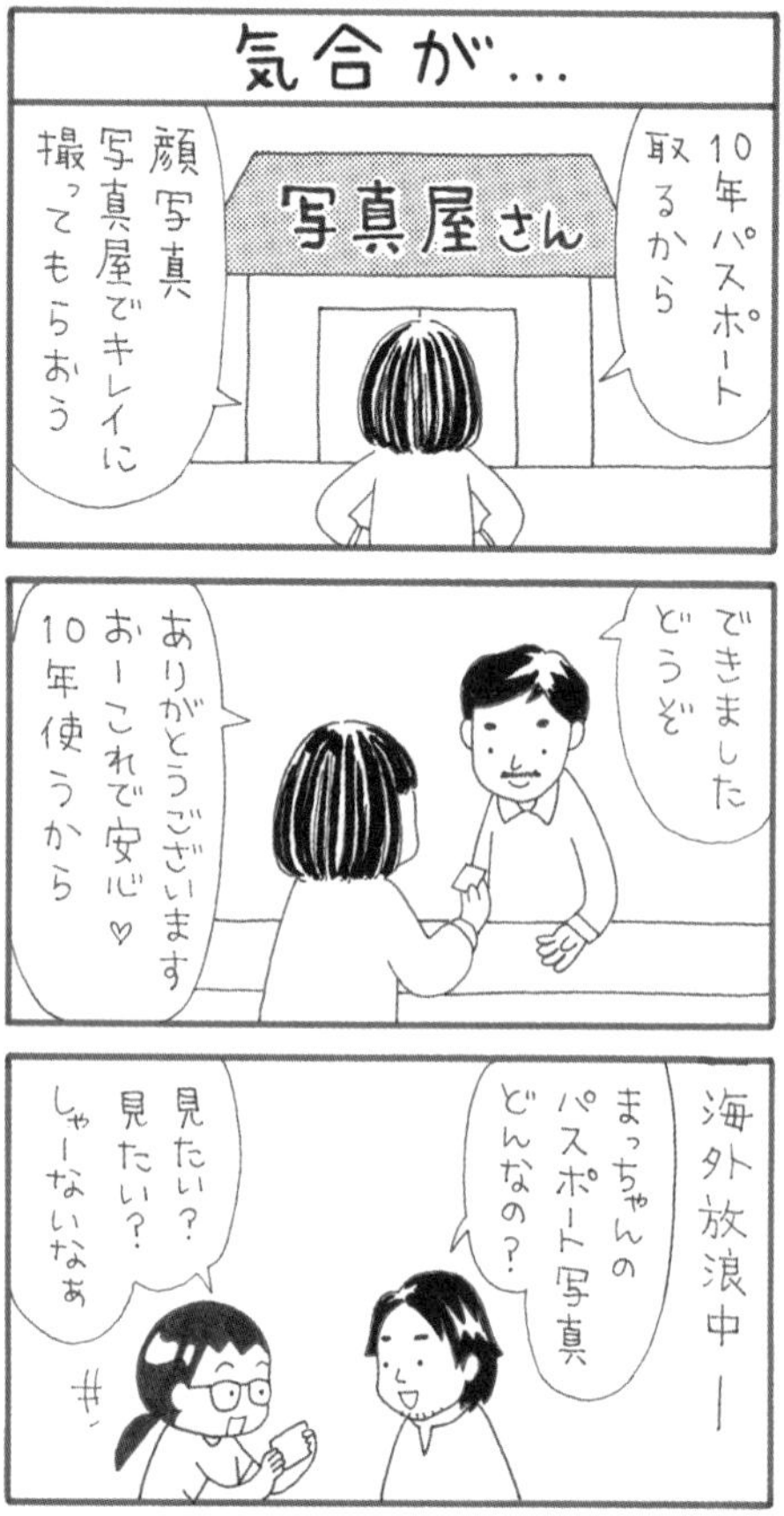
10年パスポート取るから
顔写真 写真屋でキレイに撮ってもらおう
写真屋さん
できましたどうぞ
ありがとうございます おーこれで安心♡ 10年使うから
海外放浪中ー
まっちゃんのパスポート写真どんなの？
見たい？見たい？しゃーないなあ
なんか幸薄そう…
旅券
えー気合入れて写真屋で撮ってもらったのにー!!

チベット

念願のチベット入り
ひとまず安静
頭痛が…
ま
標高4000m キツイな…
聖地カイラス山巡礼へ
よーし3周巡礼するぞー
私もー
えー!!
1周52km あるよ!!
目標3周の巡礼を達成
ラサでもたくさんのお寺をお参り
仏教に興味を持つキッカケになりました

お寺に来る前、ヨーロッパや中東、アジアの40カ国をバックパッカーで旅していました。国をまたいで旅を続けていると、パスポートにどんどん押されていくスタンプが嬉しくて♪

安宿で同じような旅人たちに出会うと、お互いパスポートを見せ合うことも。

チベットは以前から行きたくて、聖地カイラス山を巡礼しました。

山のまわりを1周52キロ、時計回りに歩きます。

正式には13周歩くのが修行ですが、それは到底無理なので、
約1週間かけて巡礼路を3周歩きました。

スタート地点がすでに標高4千600メートルの高地で辛かったけど、
人生で初めてこんなに歩いて、ものすごく達成感がありました！

ここがポイント

お寺は
学びがいっぱい

漢字の勉強

まっちゃん漢字間違ってる
どれ？
『押す』のココはつき出ないよ
ボタンを
ココ
押してく
あっそうなん!?
押すやからココ押しとき
ぐいっとね
押
おーーっ
これで覚えたーもう間違わへんで
まっちゃんこの漢字も間違ってる
なぬ!?

ひざ？

ぴょん
あーひざにのってくれるのー♡
…ひざ？ひざ…太ももやけど
？？？？？
？ひざ枕？太もも枕？
太ももだけど、それは"ひざ"でいいのよ
そうかー

私は漢字がちょっと苦手……。
ときどき間違いを指摘されて、自分でも笑っちゃうのですが、
お寺で暮らさなければ知ることもなかった、
小さな学びがたくさんありました。
お寺は私にとって学校のような、まさに寺子屋⁉

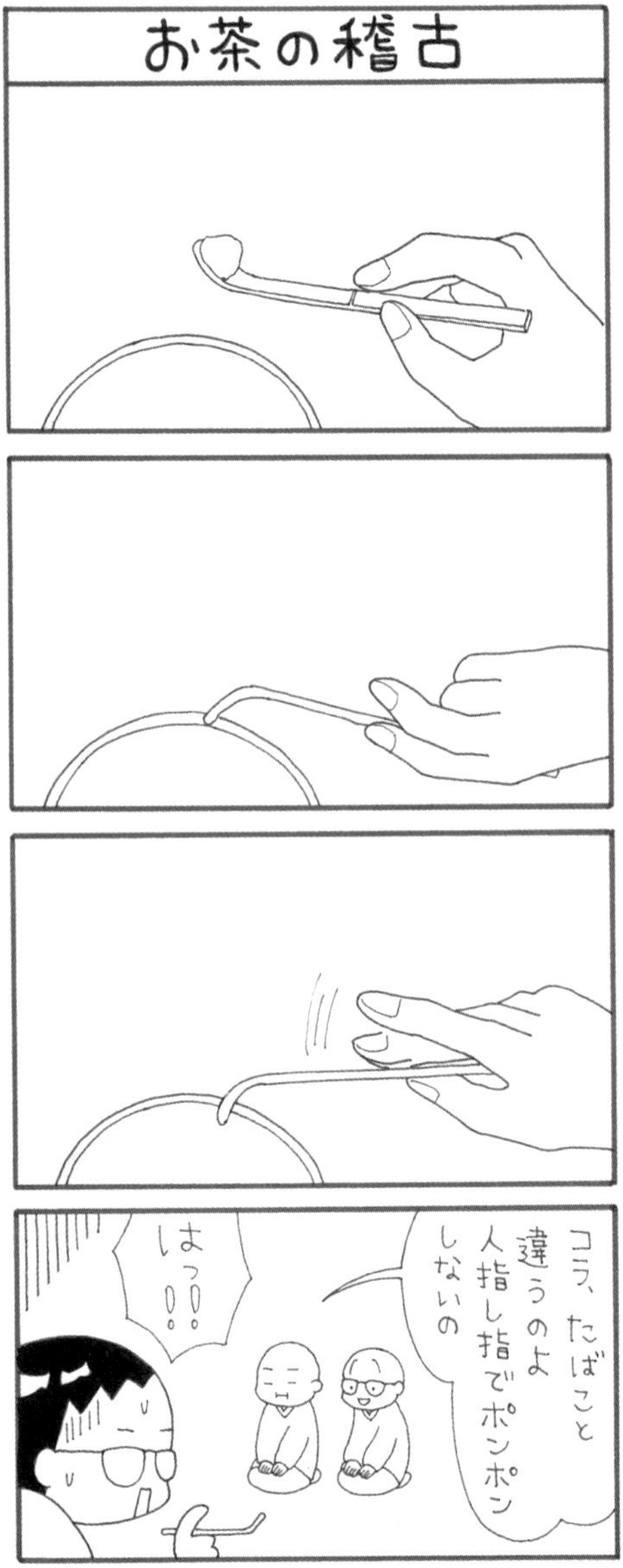
お茶の稽古
コラ、たばこと違うのよ人指し指でポンポンしないの
はっ!!

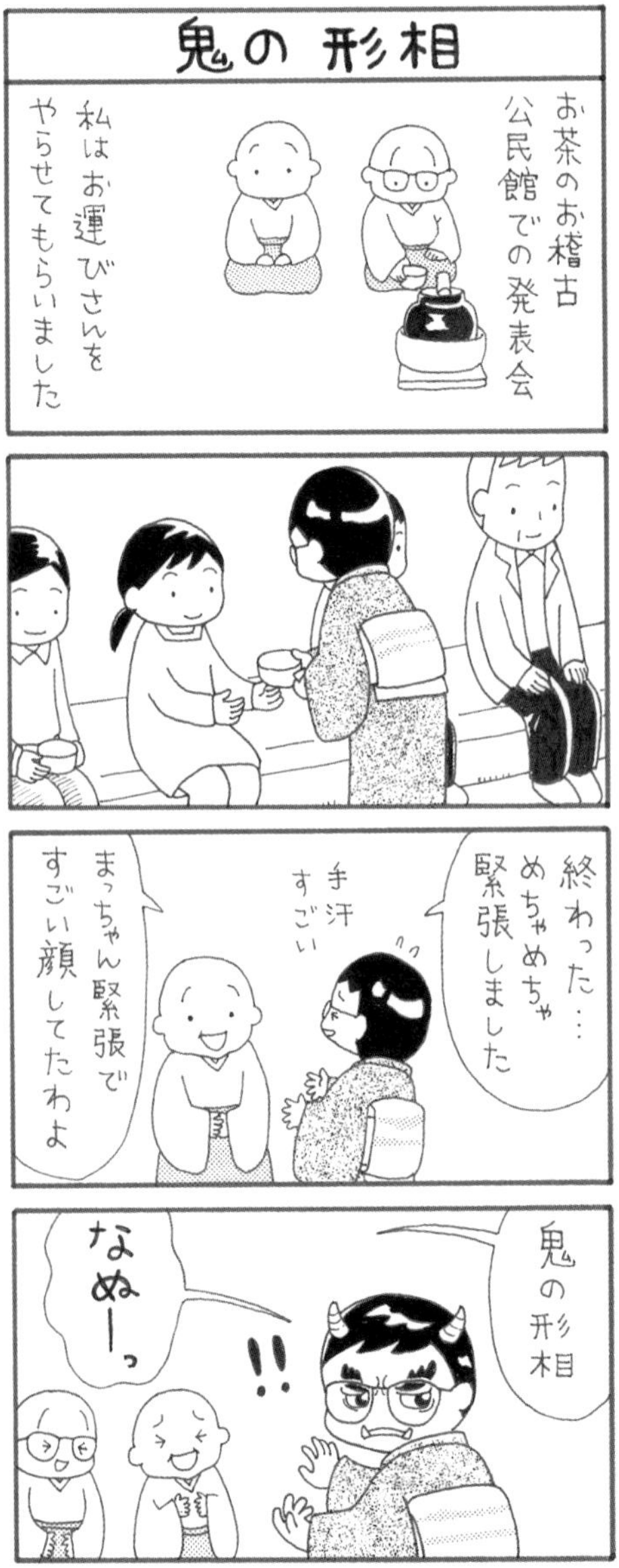
鬼の形相
お茶のお稽古公民館での発表会
私はお運びさんをやらせてもらいました
終わった…めちゃめちゃ緊張しました
手汗すごい
まっちゃん緊張ですごい顔してたわよ
鬼の形相
!!
なぬーっ

お寺では、いろんな経験をさせて貰ったなぁ。
人生で初めて、お茶も習いました。
ご住職さんと一緒に、月1回、公民館の教室へ。
お作法が多くて、なかなか覚えられなかったけど、
何もかもが新鮮で楽しかった！
発表会では、成人式以来、着物を着せて貰って、
お茶のお運びさんをしました。
やり方を間違えないよう、すごい緊張していたんだけど、
あとで聞いたら、顔が怖いくらいにこわばっていたそうです……。

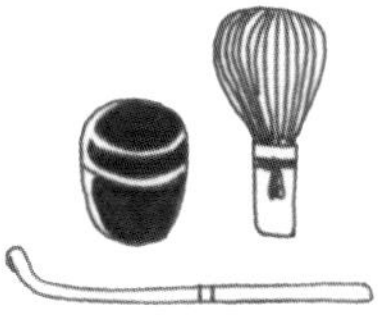

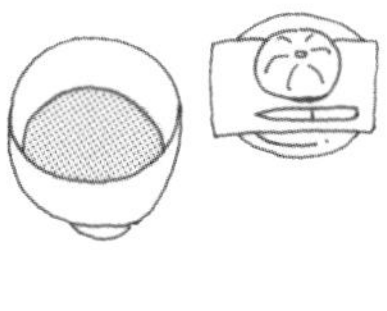

すっかり お寺の子

私ですって
今日はちょっと お出かけさせて もらいます
私服です
オサム いってきまーす
えー なんで!?
ワン! ワン! ワン!
わ・た・し です
作務衣 ちゃうけど
ウー……
???

姉ちゃんです
歯医者にて――
お願いします
兄ちゃんか!? 姉ちゃんか!?
あっ!?
私? しか おらへん
兄ちゃんか!? 姉ちゃんか!?
どっちでも よかです

始めて作務衣を着た時、
なんだかお寺の子になったようで嬉しかったなぁ。
でも、四六時中作務衣を着ていたら、
たまに私服で出かけたりすると、オサムも私がわからない!?
髪を切ってからは、兄ちゃんに間違われたこともあります。

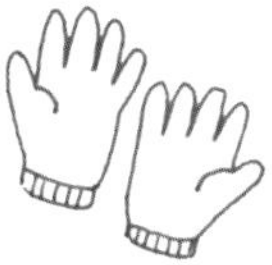

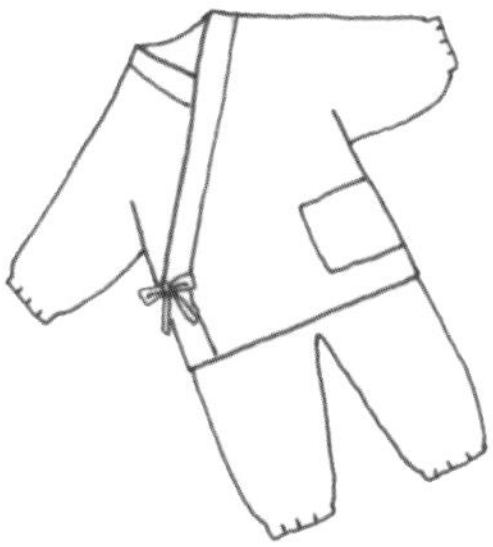

筋トレ

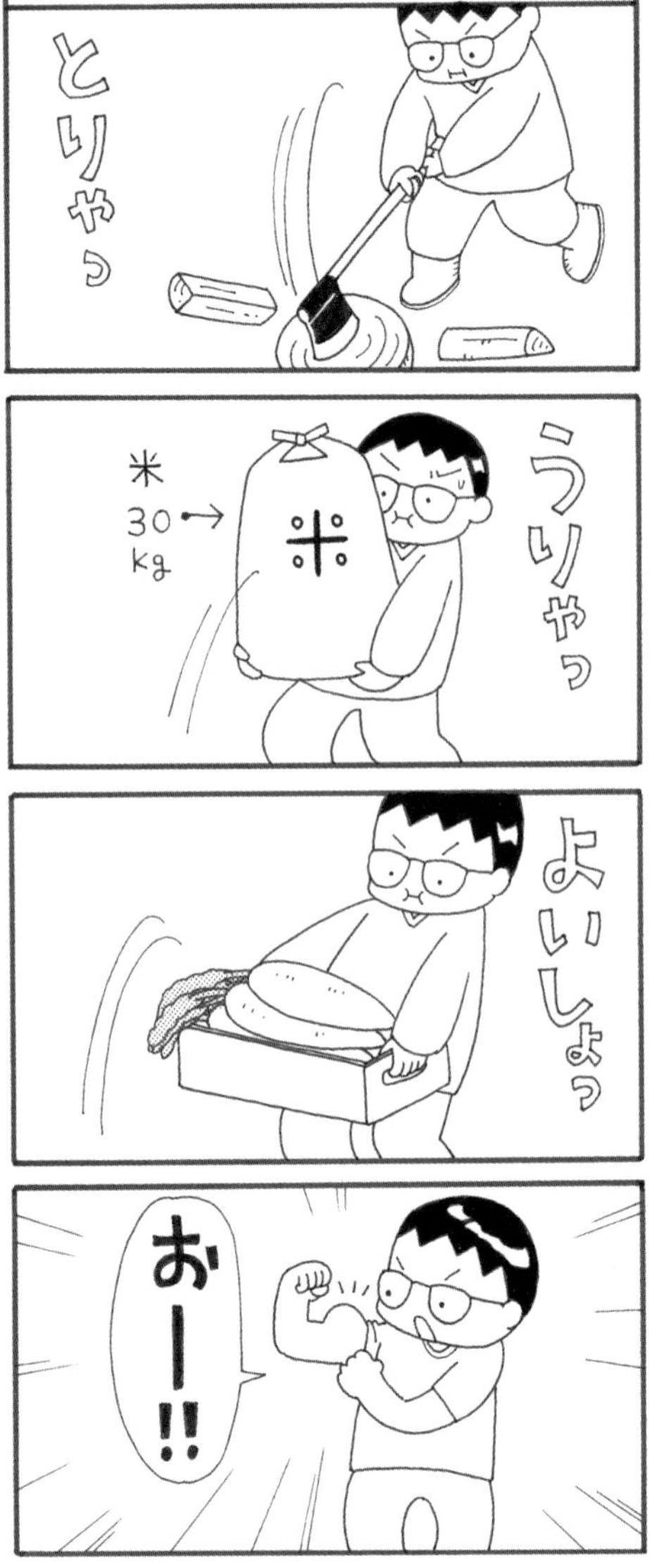

お寺に来た頃は、体力がなくてひ弱だった私が、
薪わりも板についてきて、重い荷物もなんのその、
すっかり筋肉がつきました！
お寺の仕事をしているうちに、
いつの間にか筋トレになっていたのかも⁉

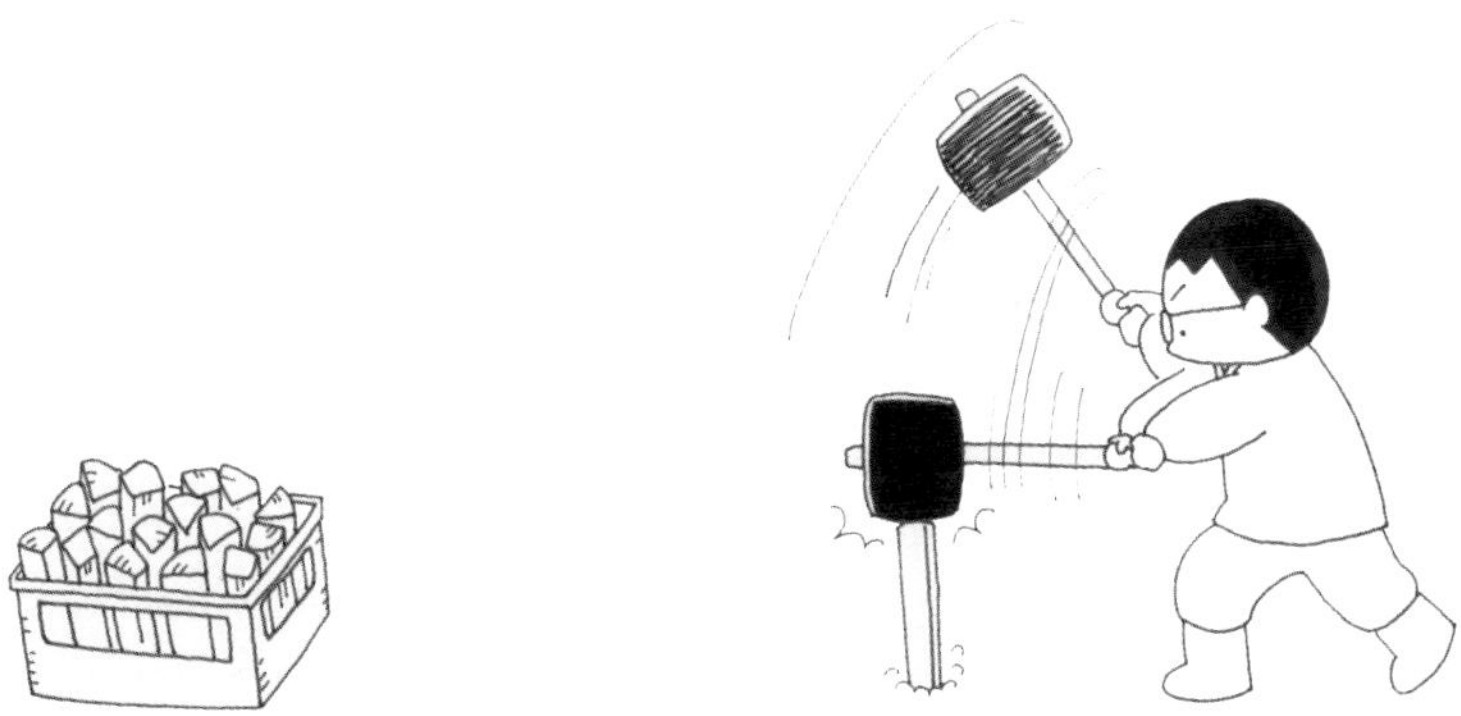

独り言

そうだ あれ
はい?
あ 独り言
あー これ
ん、はい?
あー 独り言
そうや それ
はい
ん、独り言
お寺の人は 独り言多いですよね
独り言
あれ
これ
それ

ご住職さんと慈瞳さんは、よく独り言を言いますが、
私も気づかぬうちに独り言を言っているらしい。
似たもの夫婦って言うけれど、
一緒に暮らしていると、だんだんと似てくるのでしょうか？

ドサッ
ニャッ!!

山の暮らしのハプニング

アロマ風呂
台風で停電してるけど お風呂は沸かしてるから
避難準備で 汗かいたからね 順番に入ろう
はい
もちろんお風呂も 電気つかないやんね
そりゃ そうだよ
初体験 ろうそく風呂
よく言えば
アロマ風呂

山の上の生活は、大変なことが起こります。
台風で停電はよくあること。
そんな時は、ロウソク生活に突入です。
お寺だから、ロウソクはいっぱいありますからね。
お風呂を薪で焚いて、ロウソクを点けて入る。
非日常の経験に、なんかワクワクしたりして……。
ちょっとだけオシャレな気分になります。

トゲに注意

ゆずの木の剪定をしようと思って
どうやってするんですか?
登って切るから落とした枝から実をとってね
うわ高いしトゲあるし〜〜
イタタトゲが刺さる
作務衣が破れてるわ
無事でよかった…

猿も木から落ちる!?

しゃくなげの花がらを摘みとってね
脚立用意しました
とらないと、次の花芽がつきにくいんや
へー
ぐら〜〜
あっ……
ドサッ
ありゃー
人間てバランス感覚ないの?

裏庭に大きなゆずの木があります。
枝には太くて強力なトゲがあるので、剪定をするのはひと苦労。
これもゆずの実を頂くための大切なお仕事です。
本堂の横にはモクレンの木があって、その隣にあるのがシャクナゲの木。
花が終わったら、花がらを摘み取ってあげないと
花芽がつきにくいと聞きました。
手をかければかけるほど、綺麗な花が咲くんですよねぇ。

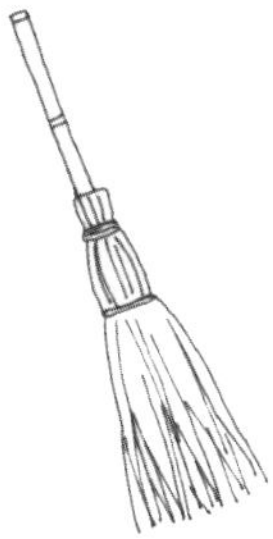

ハプニングもまた楽し

大根持ってきてくれるんだけど、大雪で車で行けないね
参道雪積もってる
背負子
鋲つき長靴
歩いて行こう
うひょうひょ
よく積もったね
どうぞ
うわ、たくさんありがとうございます
雪だから登るの40分以上かかるかな
なんか楽しいなー
わくわく

雪が積もると、山の上のお寺は大変です！
急な山道を車で上ることはできないので、
背負子《しょいこ》に荷物をのせて、みんなで雪の坂道を歩きます。
こんなハプニングも、みんな一緒だと楽しいんですよね。

新たな一歩

ひな人形

いくつになっても
ひな祭りって
嬉しいですね
女の子の節句
だからね
あーおひなさま
しまい忘れてた!!
婚期が
遅れる〜
しない!?
からいいか
ハハハ
まだ
わからない
わよー

思わぬ来客

チュン
チュン
チュン
チュン

お寺には、困った時に助けてくれる「お助け隊」の男性たちがいます。
春になると山に桜の植樹をしに出かけたり、
庭に素敵なウッドデッキを作ってくれたり、
屋根に巣を作ったスズメバチを退治してくれたり……。
ちょうど私の父と同じ世代ですが、とても可愛がって頂きました。
同世代にはモテないけど、なぜかおじさんたちにモテるみたい？
たぶん、自分を飾らなくていいから楽なのかも知れないなぁ。

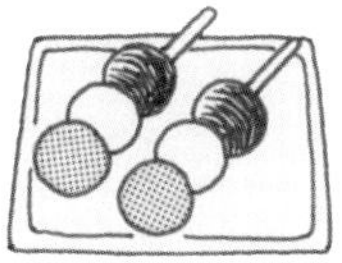

役に立っていますか!?
まっちゃんポスターの絵描いてほしいな
あんなこんな
こんな感じかな？
はちみつ販売のポップ書いてくれる？
はい
どうでしょう
幻の日本蜜蜂
はちみつ
どれどれ
蜂の顔私!?
ハハハ
エエやん
ホンマ!?
私の絵役に立ってる!?
うれしい♡

お手伝いさんの仕事のほかに、
「絵を描いて」って頼まれることがよくありました。
ジャムの瓶に貼るシール、お祭りののぼり、ポスターなどなど。
私の描く絵がみんなに喜ばれて、
役に立っていると思うとすごく嬉しかった。
私の存在意義というか、認めて貰えたような気がして……。

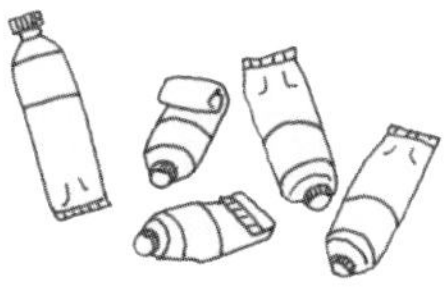

ムダな経験はない

昔学校の勉強って何の役に立つんだろうと思っていた
うきーっ
ま
人生で円周率いるのー!?
でも引き出しは色々と入っている方がよいのかも
あら、こんなのも入ってたんや
ほーー
お寺での生活で
よいしょ
新しい引き出しがたくさん増えました
お寺
きっとどこかで役に立つんだよ
えーーい
特技薪わりって書こうかなー

お寺の7年間は、私の人生で一番長くおつとめをした場所でした。
それまでは、海外に行くために短期バイトを繰り返していたから。
人間関係を築くのが苦手で、少し臆病になっていたけれど、
お寺に来て、「人は人と関わらないと生きていけない」ということを実感しました。
たくさんの人の助けがあったから、
私は7年間も「尼寺のお手伝いさん」が出来たんだよなぁ。
思い起こせば、お寺で学んだことって、
生きていく上でとても大切なことばかりだった気がします。

感謝
お寺に行きはじめの頃
こんにちは あら、はじめまして
信者さん
サッ
人とちゃんと話せませんでした
時間はかかりましたが 徐々に 徐々に…
ワイ ワイ ワイ
大丈夫 かな
そろり そろり
一緒に笑えるようになりました
わははははは
お腹いたい
いっぱいいっぱいになると忘れてしまいがちです
忘れないように
たくさんの経験・出会い いつまでも感謝です

お寺に来た頃は、引きこもりからのリハビリ中で、
初めての人に会うことも、話すことも、上手くできなかった。
ご住職さんや慈瞳さんと一緒に暮らした7年間で、
心の底から笑うことができました。
ときどき容量オーバーになってしまうと、
感謝の気持ちを忘れてしまうことがある。
お寺で過ごした経験は私の大切な財産。
忘れちゃダメだ。
一歩一歩、進んでいこう。

あとがきにかえて「これからの私」

ＮＨＫ『やまと尼寺　精進日記』の番組が終わって、私が下山したというご報告をしてから、たくさんの方から惜しむ声や応援の言葉を頂きましたが、それと同時にさまざまな憶測も目にしました。私の下山はずっと前から考えていたことなので、少し複雑な気持ちになりましたが、それだけ番組を愛してくださった方々がたくさんいたんだろうなぁと身に染みて感じています。

テレビの反響がなんだか自分のことではないようで、不思議な気持ちになりました。撮影当時は、ただ普通に尼寺のお手伝いさんとして暮らしていた様子を楽しく撮って貰っているという感覚だけで、テレビに出演しているという意識があまりなかったんですよね……。

本の冒頭で、「私は漫画家ではありません」と書きました。子どもの頃からマンガが大好きだったからこそ、漫画家を名乗る覚悟がなかったからです。

でも、この本には、昔、同人誌を描いていたあの頃を思い出して、ネームを考え、ミリペンを使って、トーンを貼ったりして描きあげました。今は私のようなアナログの手法ではなく、デジタルで描く時代だと思いますが、じっくり時間をかけて描いただけに、とても愛しいマンガになりました。そのほとんどは私が尼寺で経験したエピソードです。一冊にまとめることで、一区切りつけて、新たに踏み出す一歩になったかなと思っています。それをみなさんに読んで頂けるなんて、こんなに幸せなことはありません。
人生を振り返ると、私は決して器用な生き方ができる方ではなかったので、人間関係は失敗の連続でした。でも、絵を描いている時は、生きにくさを忘れられる幸せな時間で、心の落ち着くひと時でした。私の尼寺の7年間は、新たな人生の始まりでした。そして今、さらにその先のスタートを切るところです。この本は、「なごみ創作家」として再出発した、私の強い思いが込められています。それは、私の覚悟でもあります。

最後に、本を出すことを心よく受け止めてくれた音羽山観音寺のご住職、後藤密榮さんと、尼寺へ誘ってくれた佐々木慈瞳さんに、感謝申し上げます。こんな私を7年も一緒にお寺で生活させてくれて、感謝してもしきれません。

番組ディレクターの田上志保さんには、一緒に本を作ってきて、私のわがままでとても苦労させてしまいました。ここまで簡単な道のりではありませんでしたが、それでも出版までたどりつけたのは、見捨てずにいてくれたおかげです。

また、連載をさせて頂いている「Go Women Go!」編集長でエバーグリーン・パブリッシャーズの村山みちよさん、ジェネラティビティ・ラボのグッドイヤー・ジュンコさんにもお礼を申し上げます。

最後に、この本を手に取って頂いたすべての皆様、今日はちょっと気分がのらないなぁと思ったら、この本を開いて、クスッと笑って貰えたら嬉しいです。

本当にありがとうございました！

【著者紹介】
まっちゃん
NHK「やまと尼寺 精進日記」に登場したお手伝いさん。子どもの頃から絵を描くのが大好きで、高校で漫研に入り少女漫画を描きまくる。デザインの専門学校に進み、卒業後はバックパッカーで世界 40 カ国を放浪。帰国後、尼寺のお手伝いさんに。創作手作りが好きで、裁縫や消しゴムはんこが得意。
公式サイト：https://www.m-anicca.com/

尼寺《あまでら》のおてつだいさん

2021 年　5 月 19 日　　第 1 刷　発行
2022 年 11 月 24 日　　第 8 刷　発行

著　者　　まっちゃん
発行所　　アルソス
〒 203-0013　東京都東久留米市新川町 2-8-16
電話：042-420-5812（代表）／ email：sales@alsos.co.jp
企画・構成　エバーグリーン・パブリッシャーズ（村山みちよ）
装　丁　　ウエダトモミ（BOB.des'）
印刷所　　株式会社光邦

ISBN978-4-910512-00-6　C0076